Este libro pertenece a

....

Me lo ha regalado

....

En el día

....

Te quiero un montón

Cuento: Juan Carlos Chandro   Dibujos: M.ª Luisa Torcida

2.ª edición

 Bruño

Garbancito está triste.

Su papá está de viaje,
y esta tarde, su mamá tenía
tanto trabajo que no ha jugado
nada con él.

Por la noche, mamá
prepara rápidamente
dos lentejas y media
para que Garbancito cene...

... Y lo mete en la cama
más rápidamente todavía.

Garbancito le dice:

—Mamá, ¿me lees un cuento?

Mamá le contesta:

—Hoy no puedo, que tengo
mucho trabajo. Mañana te leo dos,
¿vale? —y se despide con un beso—:
Hasta mañana, Garbancito.

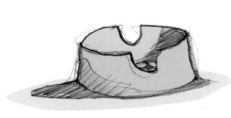

Cuando mamá ya va a salir
del cuarto, Garbancito la llama:

—¡Mamá!

—¿Qué quieres, hijo?

Garbancito responde:

—Que me digas que me quieres...

Entonces, mamá se da cuenta
de que, por culpa de su trabajo,
hoy no le ha hecho mucho caso
a Garbancito, y le dice:

—Claro que te quiero, cariño.
Te quiero un montón.
Y como te quiero un montón,
te lo voy a decir de un montón
de formas diferentes.

—¿Te lo digo
con la nariz tapada?
«¡De quiedo muzo, muzo!».

—¿Te lo digo con eco?
¡Te quiero... ero... eroooo...
mucho... ucho... uchooooo...!

—¿Te lo digo como los toros?
Muuu... Muuu... ¡Muuua!
¡Te quiero!

—¿Te lo digo como los patos
y los gallos? Cua... Cua... Cua...
¡Cuánto te quiquiriquiero!

—¿Te lo digo bajito,
como si fuera un secreto?

Te quieeeero.

—¿Te lo digo muy alto,
para que se entere
todo el mundo?

¡TE QUIEEEEERO!

—Y te lo digo
como te lo digo siempre:
¡Con un abrazo
muy, muy grande!

Garbancito y mamá se dan
un abrazo muy, muy grande.

Luego, Garbancito dice:

—¿Sabes qué, mamá?
Ya sé que me quieres,
pero me gusta mucho
que me lo digas.

Mamá acaricia a Garbancito:

—Buenas noches, hijo.

—Buenas noches, mamá.

Garbancito cierra los ojos y,
poco a poco, se queda dormido.

1.ª edición: 2012
2.ª edición: 2013

Texto: © Juan Carlos Chandro Ramírez, 2012
Ilustraciones: © M.ª Luisa Torcida Álvarez, 2012

© Grupo Editorial Bruño, S. L., 2012
Juan Ignacio Luca de Tena, 15
28027 Madrid

Dirección del Proyecto Editorial: Trini Marull
Dirección Editorial: Isabel Carril
Diseño: M.ª Luisa Torcida
Edición: Cristina González
Preimpresión: Pablo Pozuelo

ISBN: 978-84-216-8766-6
D. legal: M-4203-2012
Printed in Spain

Para Ruth y Samuel:
¡OS QUIEEEERO!

Juan Carlos Chandro

Los dibujos de este libro están dedicados a todas
las mamás del mundo y, en especial, a la mía:
te quiero mucho.

MLTorcida